Je rencont[re] Jésus

認識耶穌

著者：Jean Vanier
文立光
譯者：宋之鈞

各位主內兄弟姊妹：

這本書是爲你們每個人寫的。

它根據聖經敍述天主愛世人的故事，

它召喚你，尤其幫助你認識耶穌。

看到一張你喜歡的，

感動你心的，幫助你得到平安的圖畫，

如果你願意，

不要怕花時間仔細的欣賞品味。

如果你有什麼困難，

找一個耶穌的朋友，同他分享他可能會幫你大忙，

最重要的是祈求耶穌，他會開導指引你，

漸漸地——因爲需要時間——耶穌會使你明瞭，

他正關心著你，愛護著你。

耶穌召喚你跟隨他，

使你能度美好的生活，

而且做很多的好事。

世界需要你，

教會需要你，

耶穌需要你，

他們都需要你去愛他們和指引他們。

我的弟兄姊妹，你要知道：

耶穌生活在你心靈深處，

你要體驗這大大的秘密。

讓耶穌生活在你心內，

偕同他，一起向前走！

我感覺孤獨，無人瞭解，受冷落，而憂傷，
因此自我封閉，
　　滿懷怒火，
　　對人生乏味，
　　厭惡自己。

有一天，我遇見耶穌，喜出望外。
他注視我，
他對我微笑，
他拍拍我的肩膀，
我敢說他愛我這個受困苦煎熬的人。
　　於是我心雀躍，
　　在我內湧出生命的泉源，
　　耶穌除去了我心裡的
　　　　憂鬱、氣憤、緊張，
　　光明開始照射我的胸懷。

我心充滿喜樂，

真的，耶穌！

我感覺到，我看得見，

你真是我的朋友。

你愛我，你瞭解我，

又信任我，而我也愛你，

有你在一起，

我開始新生活，

我的心重生了。

我永遠不再孤獨。

耶穌引導我，
他是我的好牧人，
他叫出我的名字，
又對我說：
「你不要怕，
在任何困難中，
我引導你，
對我要有信心，
我常與你在一起。
但我需要你努力，
跟我一起向前走。」

「我領你去美好的地方，

清靜又安詳的地方，

我給你擺設宴席，

以我的身體，我的血養活你。

還有我的心。

我給你新的精力，

就是我的聖神。」

「我實在非常喜愛你們每一個人，

所以，我爲你們奉獻自己的生命。

我願每一個人又幸福，又自由。」

耶穌領我加入天主的家庭，

耶穌使我認識他的父親，

他也是我的父親，我的爸爸，

他是我們的父親。

耶穌就是我的大哥，

因著聖洗，他賜給我聖神，

使我與他及他的父親合而爲一。

耶穌也使我認識

他的母親，瑪利亞，

她也是我的母親、我的媽媽。

我愛她，我也信賴她，

她實在相似耶穌極了。

耶穌又使我加入天父的家庭，

使我與新的兄弟姊妹組成一個團體。

現在我真幸福，因爲，

我已加入了天主的大家庭，

普世兄弟姊妹的大家庭，

這就是教會！

在天主的大家庭內，
耶穌給我們許多神父，
他們宣講耶穌的教訓，
他們舉行彌撒、感恩祭，
他們給我們吃耶穌的聖體，
又喝耶穌的聖血。
因耶穌之名，他們寬恕我們的罪過，
他們幫助我們生活耶穌的喜訊。

耶穌教我怎樣祈禱。

我注視他，

他注視我，

我們在一起真好！

他對我說：

「我愛你，

如同父愛我，

留在我的愛內。」

有耶穌在一起，我感覺快樂、輕鬆。

耶穌對我說：

「當你向我父祈禱時，你要說：

我的父，我們的父，爸爸！

你多麼美善，多麼偉大！

但願世人都認識你，

並且以言以行，使你喜悅！

願你的國來臨！

願你的旨意奉行在人間！」

（參閱瑪六9－13）

「爸爸，我餓了，

人人都飢渴！

我需要你！

我們需要你！

請快來！

賜給我們今天的日用糧！」

「爸爸，請你寬恕我的罪過！

請你寬恕我們的罪過！

洗淨我們一切罪惡的污穢！

請你治癒我們！」

「爸爸，請你保護我們！

請你不要讓我們受艱難的考驗！

請你救我們脫離那邪惡者的手！」

於是耶穌給我許下：

「凡你因我的名義，向我父所求的一切，

他都會賜給你。

真的，他都會賜給你，

要有信心！」

（參閱若十五16）

耶穌以孺慕的目光，注視著他的母親瑪利亞，

向她說：

「萬福瑪利亞妳充滿聖寵。」

我也跟他說：

「萬福瑪利亞妳充滿聖寵。」

耶穌教我怎樣生活。

耶穌以慈愛的目光，注視著我，

向我說：「來，跟隨我，

　　我們要生活在一起。」

我跟隨了他，留心他如何生活：

　他是窮人的朋友，

　他待弱小的，遭難的，有痛苦的人們，真是照顧週到。

耶穌向眾窮苦的人說：

「你們勞苦，背負重擔的人，

你們到我跟前來，

我要使你們得到安息。

你們要跟我學習，

因爲我心裡柔和謙卑。」

（參閱瑪十一28）

耶穌給飢餓的人

得到飽飫。（參閱谷六41）

耶穌處處宣揚他的天父，
他時時傳報真理真道，
他實在是世界之光，
他厭惡謊言詭詐。

耶穌安慰心靈破碎的人，

他喜歡接近他們，和他們一起生活。

（參閱路七12）

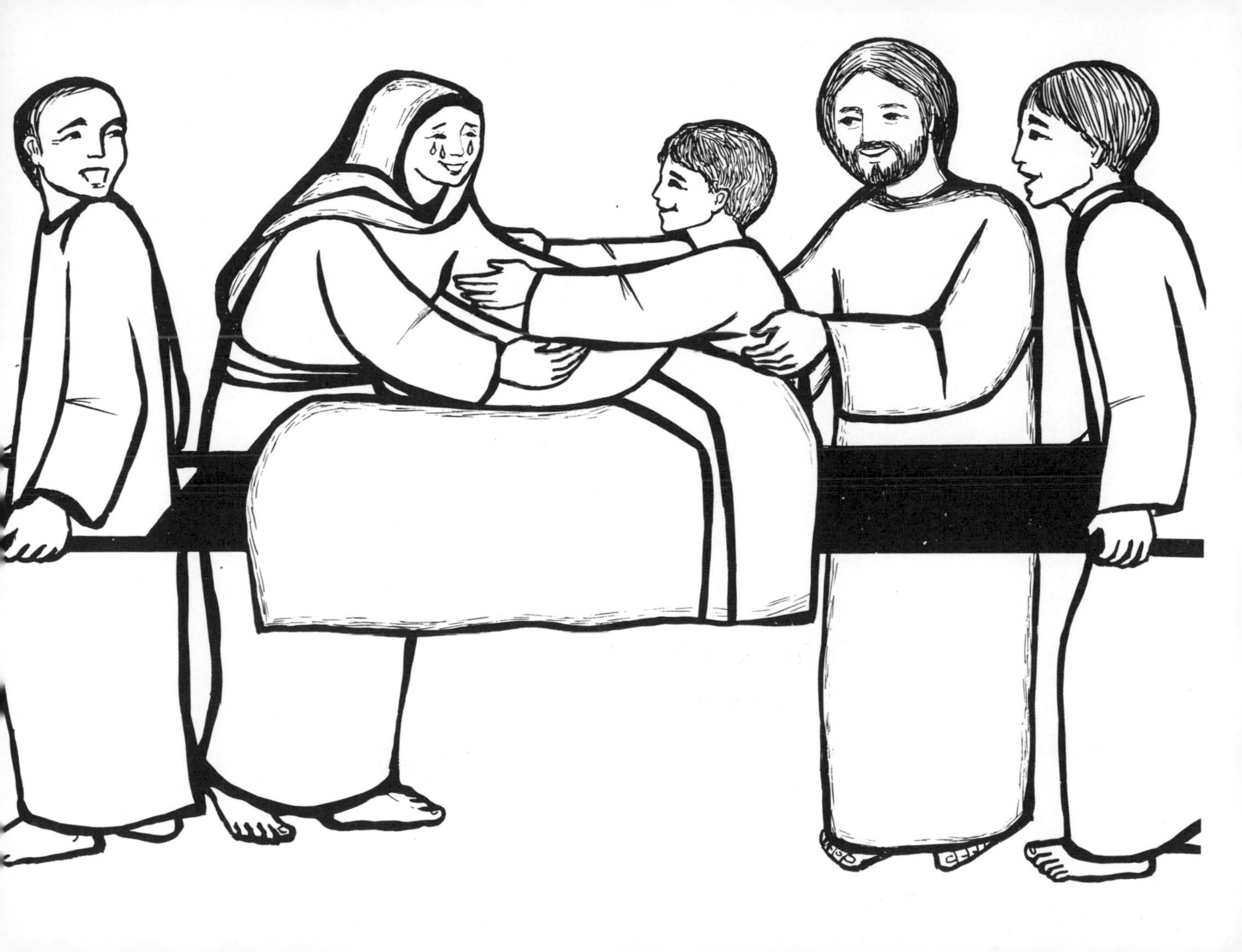

耶穌治癒癱瘓的人
和各種病患。

（參閱路五17）

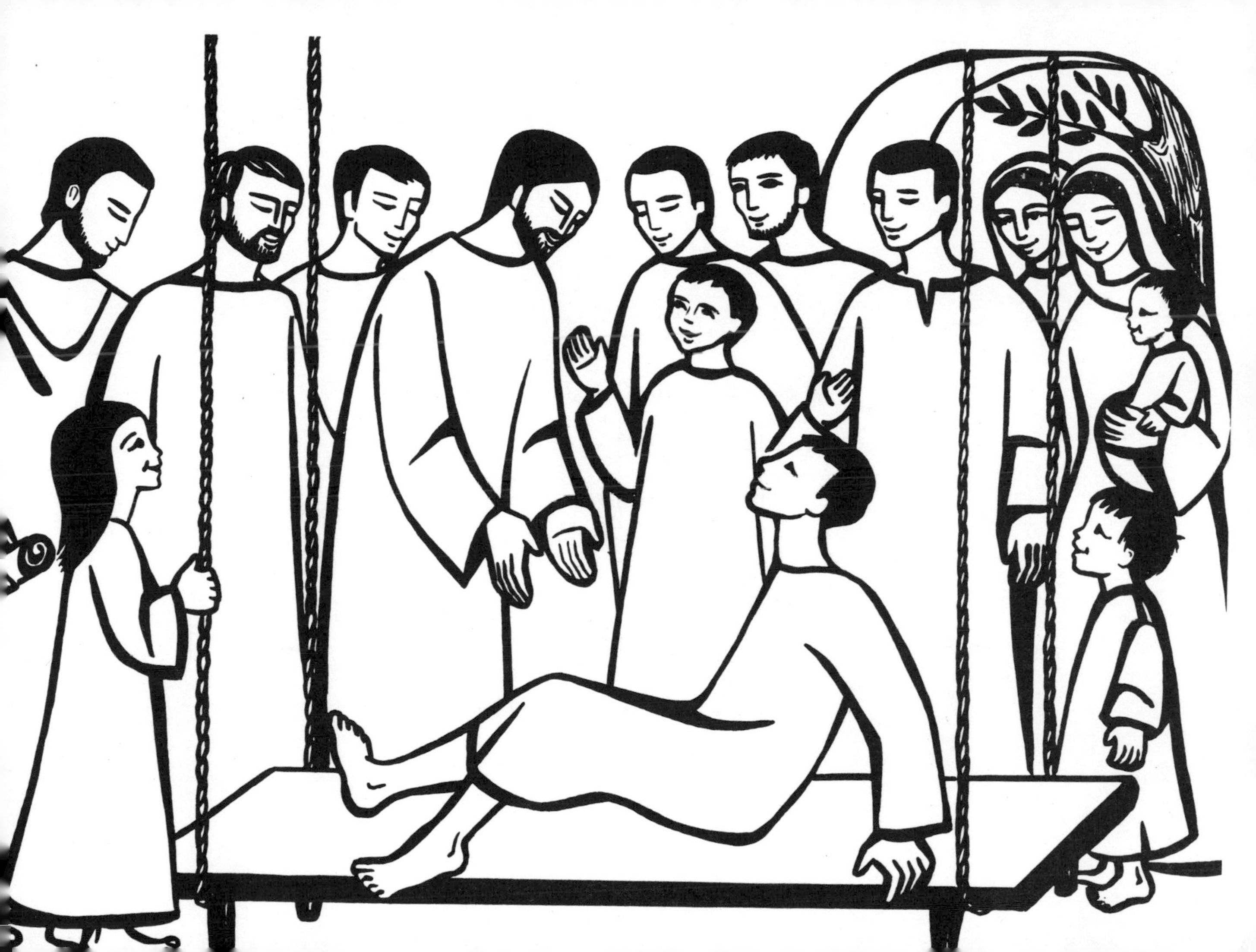

耶穌召叫小孩子接近他，

他擁抱他們，

他降福他們，

他愛護他們。

他對我說：

「如果你不變成像小孩子一樣

純真，對我信賴、對人溫柔，

就不能進入天國。」

（參閱瑪十八2）

耶穌講一個故事

爲說明天父是何等仁慈美善，
和願意寬恕我們一切罪過。
「從前，一個父親有兩個兒子，
小兒子向他要了自己的一份家產，
到遠方去獨自生活。
在那裡，他荒淫酗酒，花盡了一切所有。」

「很快地，小兒子花完了所有的錢，
没多久，那個地方發生了饑荒，
他已一無所有，
連吃飯的錢也没有，
　　他又找不到工作，
　　只好當傭工放豬，
　　他餓得想吃豬的食糧，
於是他想到了父親。」

「他決定回到父親那裡，
父親時時在等他，
因爲他深愛著他的兒子。
當父親遠遠地看到他回來，
心裡就充滿喜悦，
跑著去歡迎他，
雙手拉著他，
緊緊地擁抱他，
小兒子哭著向父親說：
「爸爸，我得罪了你，
也得罪了天，寬恕我罷！」
他們久久地擁抱在一起，
快樂的和好如初。

「父親重新看到自己的小兒子，高興至極，
就擺設盛宴。
大家都快快樂樂的慶祝。
因爲這兒子是失而復得，
死而復生！
大哥一人卻非常生氣，
因爲他嫉妒」。

（參閱路十五）

耶穌，你爲什麼來到這世界？

耶穌告訴我，天父派遣他來到這世界，

爲救所有的人，

願意他們與天父重歸於好，

使他們成爲天父疼愛的子女。

天父派遣耶穌，

因爲他非常愛世界上所有的男男女女，

天父派遣他來傳報好消息：

就是天主不論我們是好是壞，

他一概疼愛喜歡。

在困難中，憂慮中，没辦法時，

我們不再孤獨。

死亡不是一切完了，

我們生來是爲與耶穌一起生活，

永遠在一起。

那時，真正的生命才開始。

天父派遣耶穌，

為解救罪人，使每一個人，

脫離自私，

罪惡，

嫉妒，

迫害，

暴戾，

死亡，

災禍。

真的，他來解救我們罪人。

天父派遣耶穌來，

在衝突與戰爭中的世界，

作和平與調解的使者。

在痛苦與貧窮中的世界，

作同情與安慰的使者。

耶穌來到世界，

為寬恕我們眾人的

過錯，

罪孽，

惡毒，

懦弱，

冷漠。

耶穌不是來審判我們，

不是來定我們的罪。

耶穌來到世界，

為改善我們的自私與鐵石心腸，

為教導我們愛護別人，

同別人分享，

共同建設一個更公平、

更美好，

更友愛的世界。

這就是教會！

耶穌來到世界上，

引導各邦國、各種族的男男女女，

共赴天父的盛宴。

爲使我們眾人

在充滿愛心與循循善誘的君王下，

能夠合而爲一。

耶穌注視著我，
他對我說：「跟我學習，
要善良與勇敢，
像我一樣；
如同我像天父一樣。
天父派遣我，我也派遣你：
去罷！傳報和平的福音，
向眾人說明天主是愛，
軟化鐵石心腸，
如同我一樣寬恕別人，
如同我一樣愛護別人，
如同我一樣消除災禍。」

主教因耶穌之名給我們付堅振。

他是教區的父親，

他派遣我們傳佈福音，

爲耶穌、爲兄弟姊妹，尤其是爲最窮苦的人服務。

因堅振聖事，

我們由聖神得到新的力量，

爲作耶穌的見證人。

主教又是祝聖新神父的人。

耶穌給我們頒佈了天國大憲章：真福八端

「你當生活儉樸與簡單，
勿追逐名利。
有我，你就安全，
我是你的財富及平安。

那時，你就幸福，
並且我的天父會降福你。」

「你要良善心謙，

即使別人惹你煩惱，

爲難你，你還要良善心謙的對待他。

那時你就幸福了

並且我的天父會降福你。」

「幾時你有痛苦，甚至痛哭，

我將安慰你，

我將拭乾你的眼淚，

那時，你就幸福了，

並且我的天父會降福你。」

「你要渴慕天父的國，

在世承行他的旨意，如同在天國一般，

在你所處的環境中，

祈禱與奮鬥，

爲使普世眾人更友愛，

窮人被尊重。

你要勇敢

關心痛苦的人，被人遺忘的人，

向罪惡戰鬥的人，

爲他們祈禱，

爲他們奉獻。

那時你就幸福了，

並且我的天父會降福你。」

「你要善待孤獨與被遺棄的人，
憂苦與生活困難的人，
最貧乏與最無依無靠的人，
盡力幫助他們。
我就住在他們心裡，
你爲他們所做的一切，
也都是爲我做的。
這樣做，就是他們幫助你，
改變你的鐵石心腸，換上一顆有愛的心。

那時你就幸福了，
並且我的天父會降福你。」

「你的心要潔淨和誠樸，
清澈如同泉水。

那時你就幸福了，
並且我的天父會降福你。」

「你要時時處處做和平使者，

那時你就幸福了，
並且我的天父會降福你。」

「如果你善良，

如果你愛我，

如果你聽我的話，

人家會取笑你，

人家會躲開你，

人家會欺侮你，

你勿擔心，

你勿害怕，

我常與你同在。

那時你就幸福了，

並且我的天父會降福你。」（參閱瑪五）

我向耶穌說：

「但愛別人，付出自己

常常寬恕

照你的話生活，

這是很難的事。

我嘗試去做，但不成功，

我屢次失敗，

很快就失去信心，而變成懦夫。」

耶穌向我微笑，說：

「靠你單獨一人，這是不可能，
但對天主而言，沒有不可能的事，
我幫助你，我寬恕你。
我請我的神父藉和好聖事
寬恕你，
所以，你常是我的朋友！」

「但你要常領我聖體，
常喝我聖血，
這是最重要的，
因此，我就在你內，
你也在我內生活。
我將我的心放在你心中，
你就能愛。
我將給你新的力量，
你就能攻打在你心靈及世界上的罪惡。」

「沒有我，你就不能有所作爲，

同我一起，你就能結許多果實。

但，你要有耐心，

要常信賴我的愛。」

（參閱若十五）

「如果你願意跟隨我，

你必要受苦，

但，別害怕，我必與你同在。」

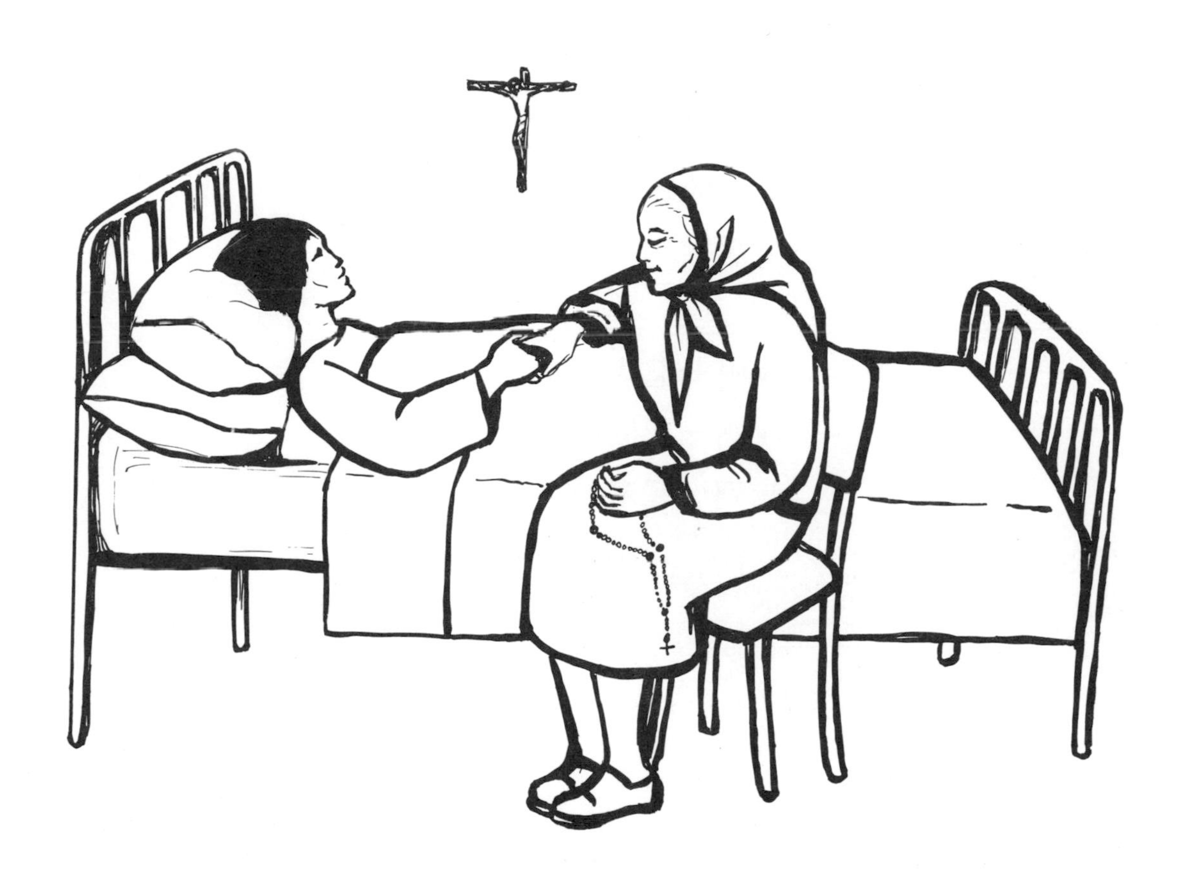

在死亡的時候，我將領你進入
我天父的國，
與我的母親瑪利亞，
與我天父的眾子女
一起生活。

我們一起生活，
我們一起慶祝，
我們一起歌唱，
讚頌我的天父，
我們的心將充滿喜樂。」

「但在世的時候，

必須警醒與祈禱，

因爲撒殫惡神常會使你灰心，

使你遠離我。

但我常在你身邊，保護你；

切勿離開我！」

「你要安心留在我天父的聖心中，

因爲他愛你，

他眷顧你，

你要信賴他，

因爲他的愛

他的溫良

是全能的。

他知道一切……

連你掉一根頭髮，他也知道。」

耶穌對我說：

「天父的國
好像埋在地裡的寶貝。
值得我們變賣一切
買到它。」

（參閱瑪十三44）

「天父的國

好像最小的種子：

它在我們心中，逐漸成長，

變成一棵大樹，

天上許多飛鳥都來築巢停駐。」

（參閱瑪十三31）

「天父的國
好像婚宴，
眾窮苦的人
都被邀請來分享！」

（參閱路十四5）

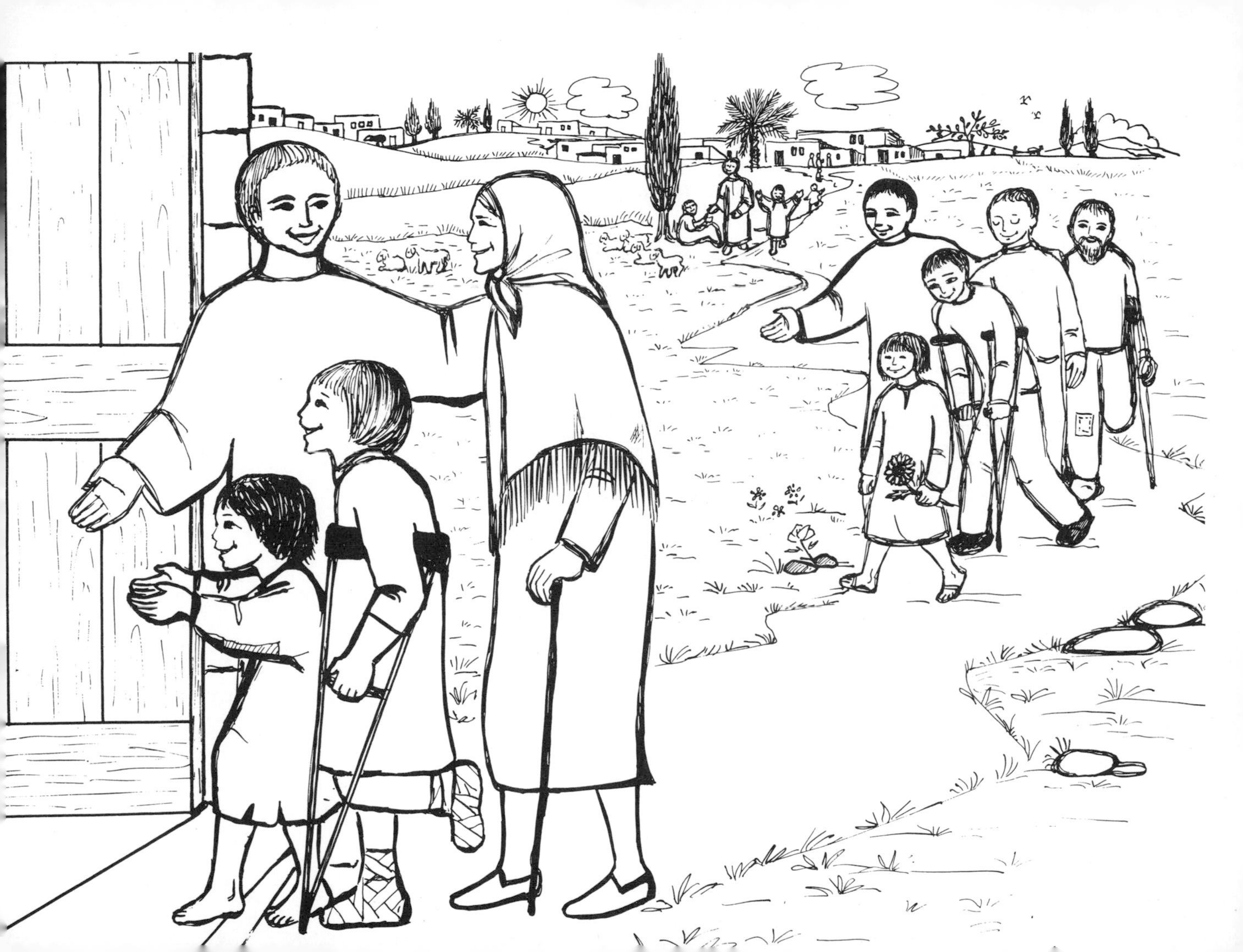

耶穌給我解釋

世界的起源和歷史：

（創一）

「天父和我創造了一切事物：

光和太陽，

植物和花草，

魚類、飛鳥和走獸。」

「我們創造了男人和女人，

這是受造物中最美好的。

整個世界是爲他們而造，

都是他們的居所和樂園。」

「亞當和夏娃是第一對男人和女人：
他們受了魔鬼的誘惑，
他們不服從天主。
他們向天主說：『我們不聽你的話。』
他們不顧天主的愛，
他們於是只求享受，
他們只顧自己，
他們不肯服務。」

（創三）

「因爲亞當厄娃背叛他們的天父，他們的天主。
只想到他們自己，
於是他們彼此爭吵，
他們的孩子也是如此。

世上的眾男女也彼此爭鬥，
各人只想自己的利益。

世上不再有愛，不再彼此分享，
但到處只有戰爭、痛苦和仇恨。」

「但是天父還是愛著世人，

為世上的男男女女，

制定更美好的計劃，

因為他實在愛他們，願意他們都快樂。

他將派遣一位救主，

就是他寵愛的兒子，

為拯救他們，

給他們新生命，

於是天父準備他的來臨。」

天主揀選了諾厄，
　　吩咐他
　　爲他及他的家人，
　　爲各種雌雄的動物，
　　建造一艘方舟，
他使天下雨，不停的下雨，下雨，
　　一場極大的洪水，
　　淹没了整個大地。
只有在方舟中的諾厄及家人，
　　雌雄的各種動物，
　　免遭洪水的淹没。
天主又同諾厄及他的子孫，子孫的子孫，
　　同世界上的男男女女，
　　訂立了盟約，
　　他不再使洪水淹滅大地。

但世上的男男女女

又背叛了天主

戰爭、痛苦和仇恨到處瀰漫。

天主於是揀選亞巴郎，

他是善良又公義的人；

使他和妻子、子女、子孫，

組成一個民族，就是猶太民族。

天主與他們訂立了盟約。

（創十五）

這民族遭受苦難，

成爲奴隸，既受迫害，又受屈辱。

於是他們向天主呼救，

求天主記起他的盟約。

天主看到他們成了被屈辱的民族。

就傾聽了他們痛苦的呼喊，

揀選梅瑟

派遣他援救自己所鍾愛的這個民族。

最後，經過好多年之後，
天主揀選一個少女：瑪利亞，
做他愛子的母親。
在她誕生以前，
就準備讓她盡這使命，
　　使她更有愛心，
　　　　充滿聖寵，
　　　　非常純潔，
她是無染原罪的。

瑪利亞

同一個非常善良的人訂婚，
他的名字叫若瑟，
對天主唯命是從。

天主派遣一位使者，
名叫嘉俾厄爾，
傳達天主的話：
「萬福，充滿聖寵的，
天主與妳同在。」
他要求她做
天主子的母親
她答說：「好！」
「我是上主的婢女——
照你的話在我身上完成罷。」
天父派遣他的聖神來見瑪利亞。
她懷了一個小孩：就是耶穌。
童貞瑪利亞就成了天主的母親。
（參閱路一23～38）

瑪利亞懷了耶穌之後，
就去拜訪她年長的表姊：依撒伯爾。

同樣，依撒伯爾也懷了男胎。
瑪利亞就來幫助她，服侍她。
（參閱路一39，56）

瑪利亞

　　在白冷，一個破陋的山洞中，

　　生下了耶穌，

若瑟也在那裡，

這就是聖誕。

　　牧羊人來朝拜

　　這位成爲小孩的天主子。

（參閱路二1～20）

從遠方，也有賢士來到，
　　他們來朝拜，
　　又奉獻禮物。

耶穌是以色列的君王，
　　也是普世的君王。
　　　　　　　　（參閱瑪二）

耶穌同瑪利亞及若瑟，

居住在納匝肋。

他也勞動，如同常人一般的生活。

在那家庭裡，他生活了三十年。

三十年之後，

他停止他的工作，

離開家庭，

離開故鄉，

爲向民眾

傳達和平和愛的訊息：

就是福音。

他開始顯奇蹟。

（參閱若二1～12）

耶穌召叫門徒，選擇十二位宗徒，

他要他們放棄一切跟隨他，

他揀選他們繼續他的工作，

像他一樣講道，

像他一樣善良，

像他一樣治癒病患。

在十二宗徒之中，有伯多祿，

他選他成爲

建立自己教會的基石，

宗徒們的首領，

第一位教宗。

他還選若望成爲

他特別寵愛的宗徒。

（參閱瑪四18～22）

今日的教宗猶如伯多祿，

是耶穌的朋友，

主教們的首領，

牧人們的牧人，

他鼓勵其他主教，

他提醒整個教會記住耶穌的話。

在耶穌的門徒之中，

有他的母親瑪利亞。

她是最認真而又最安靜的，

她喜愛又快樂地接納耶穌的話，

她把一切默記在心中，

她滿心是愛，虔誠朝拜。

還有瑪利亞與瑪爾大，

她們是拉匝祿的姐姐。

耶穌很愛他們三人。

他屢次來到伯大尼，

在他們家中休息。

又有一個行爲不羈的婦女，
耶穌親切地注視她說：
「我也不定妳的罪，
妳走罷！別再犯罪了！」

她就不再犯罪，
因爲她遇見了耶穌，
知道耶穌的愛是無限的。
（參閱若八）

但是有人不願意聽從耶穌，

他的話使他們害怕，

他們追逐名利和權勢。

他們拒絕聽從他，不肯接受他的教訓。

他們頑固心硬，

他們又嫉妒，又試探著陷害他。

逾越節前的星期四，

耶穌集合自己的宗徒們，

同他們一起用晚餐。

他知道這是他最後一次晚餐。

吃飯之前，他爲他們洗腳，

這樣做，他成了他們的僕人。

他對他們說：

「你們彼此也當如此做。」

「這樣做，你才幸福，並且我的天父會降福你。」

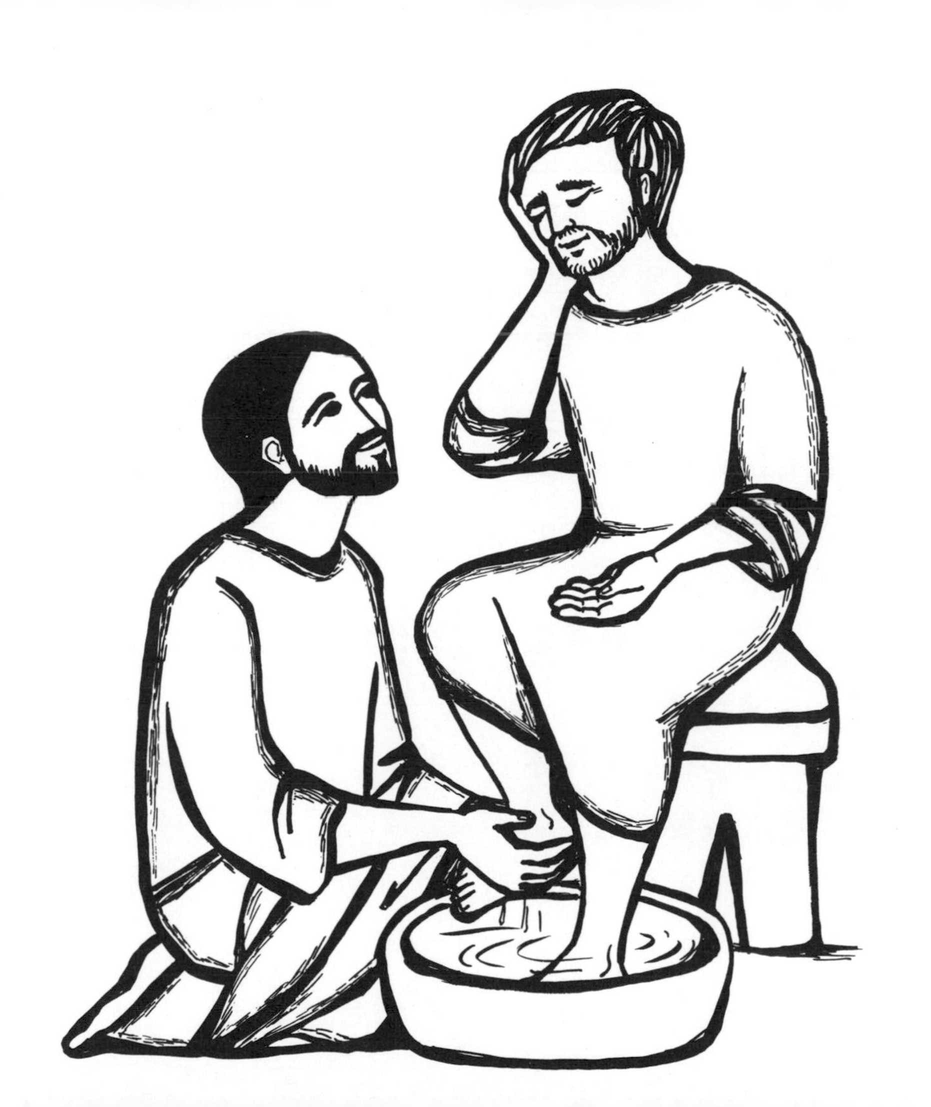

晚餐時，耶穌給了他們最大的恩賜：

在麵餅形下，吃他的身體，

在葡萄酒形下，喝他的血。

這是他死亡的記號，爲我們奉獻自己生命，

這是第一台彌撒，第一次感恩祭。

他對他們說：「你們這樣做，來紀念我。」

他祝聖他們爲神父。

繼而，耶穌向他們說：

「你們要彼此相愛，像我愛你們一樣。這是我的命令。

不久之後，我將離開你們，

但你們心裡不要愁悶。

我要求天父，

他就會賜給你們一位慰助者 —— 就是聖神。

人們要迫害你們，

但我會永遠同你們在一起。」

之後，他到橄欖園去，
　　　憂悶痛苦至極。

他向他們說：
「我的心靈憂悶的要死。」（瑪二六38）

他祈禱說：「父呀！不要照我所要的，而是要成全你的旨意。」
（路二二42）

耶穌的仇人要殺死他。

他們利用十二宗徒之一的猶達斯。

這人帶領兵士來捕捉耶穌，

並把他關進牢獄，

猶達斯用可惡的親吻作爲記號。

宗徒之長伯多祿心裡害怕，

他堅持不認識耶穌，

他說：

「我不認識這人！」

那時公雞叫了。

耶穌從遠處溫和地注視著他。

伯多祿痛哭流淚。

耶穌寬恕了他。

（參閱路二二60～61）

耶穌被關進牢獄，

他受了審判，

被定死罪，要釘在十字架上。

他被鞭打，

頭戴茨冠，

痛苦難受。

（參閱若十九）

耶穌肩負十字架，

直到加爾瓦略山，

基肋乃人西滿幫助他背十字架，

在路上，耶穌跌倒好幾次，

他受苦慘重。

（參閱路二三26）

兵士們釘耶穌在十字架上，
他猶如一隻受傷的無玷羔羊，
做爲救我們，治癒我們的犧牲。

在十字架上，
耶穌把瑪利亞交託給若望，
做他的母親。
「請看，你的母親。」

從那時侯起，若望接瑪利亞到自己家裡，
如同耶穌一樣的孝愛瑪利亞。

（參閱若十九）

耶穌呼喊：「我渴！」

之後，他呼出最後一口氣，

就死了。

一個兵士用長矛，

刺透他的心臟，

流出血和水。

（參閱若十九）

有門徒來找耶穌的遺體，

從十字架上卸下來，

交給他的母親瑪利亞，

她滿懷愛情的抱著他。

耶穌的門徒把他的遺體，
放進墳墓，
用一塊大石頭關上墓穴。

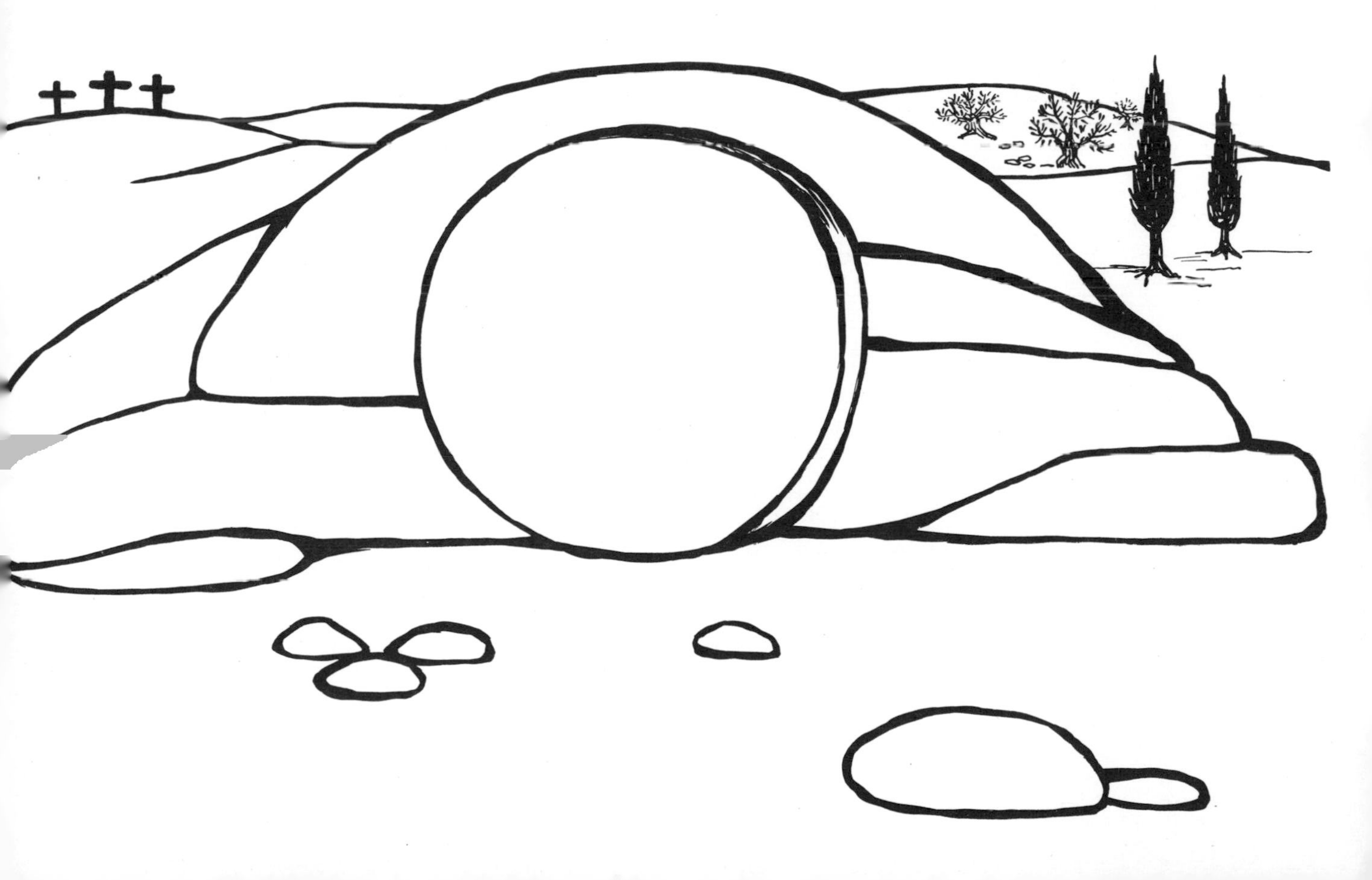

在逾越節晚上，

耶穌復活了，

他活起來了！

他會生活直到永遠！

亞肋路亞！

一清早，

瑪利亞瑪達肋納上墳去找耶穌。

她傷心痛哭。

耶穌裝扮成園丁，顯現給她，

但她沒有認出來，

唯有在耶穌呼叫她名字：「瑪利亞！」時，

她才認出來。

她大喊說：「師傅！」

便俯伏在他腳下。

（參閱若二十11～18）

不久之後，耶穌在提庇黎雅海邊，

顯現給宗徒們，

同他們吃飯。

繼而，他對伯多祿說：

「伯多祿，你愛我麼？」

伯多祿答說：

「是的，你清楚知道我愛你！」

於是耶穌說：「你牧放我的羊群。」

這樣做，耶穌肯定伯多祿爲

教會的牧者，

第一位教宗。

（參閱若二一）

耶穌升天的日子，

叫宗徒與門徒們在祈禱中等待：

他將給他們派遣聖神。

之後，他離開他們，升到天父那裡去。

（參閱宗一）

五旬節主日

——耶穌離開之後十天——

瑪利亞與宗徒們一邊祈禱，

一邊等待耶穌的許諾。

忽然，他們聽到一陣響聲，

好像暴風颳來，

他們看見好像火的舌頭，

停留在他們每人頭上。

他們都充滿了聖神，

一股新的神力催動他們！

他們開始說各種語言：

「耶穌是天主子，世界的救星。」

耶穌的教會誕生了，並且向外發展。

宗徒充滿著心火，

出發往世界各地去，

他們到處宣傳耶穌

以及他的福音。

他們給信耶穌的人付洗

「因父及子及聖神之名。」

天主家庭——教會——的成員日日增加。

瑪利亞同若望一起生活，
若望做她的司祭，
直到她逝世。
隨後，她像耶穌一樣復活起來，
她帶著光榮的肉體升天而去，
這是瑪利亞升天！
在世界末日，
我們也將會有光榮的肉體。
耶穌與瑪利亞帶著他們光榮的肉體，
正在天國中等候我們。

宗徒們爲耶穌殉道而死，
主教們替代他們，
繼續傳揚耶穌，
以及他的福音，
時時，
處處，
如同宗徒一樣，他們
建立、
鞏固信友團體。
這些團體的成員有
家庭、父親、母親，和他們的孩子，
還有獨身的男女，
有的獻身於耶穌，而被祝聖。

弱者、病人、老人、窮人，

——所有受苦和無依無靠的人——

都受教友團體的重視與關懷，

他們在耶穌的教會有著重要的地位。

耶穌特別愛他們，

他選擇弱小者，

使心高氣傲的人狼狽窘困。

這些人的祈禱感動天父的心。

在他教會的歷史中，

耶穌召叫男男女女，像你、我一樣的平常人，

成聖成賢，

按聖神的指引生活。

他們是耶穌的朋友，

窮人的朋友，

我們的榜樣。

他們談論耶穌，

他們向耶穌説話，

他們向窮人説話，

他們是我們的朋友，

他們正在天堂等候我們。

耶穌常活在他的教會之中，
他在我們中間，又在我們心中。
我們同他一起彼此相愛：
我們組成一個團體，
我們學習寬恕、慶祝、接納窮人。
爲使世界更友愛而努力，
肯爲兄弟姊妹犧牲生命。
我們是耶穌的面貌、
手臂、
肺腑。

在我們團體之中，

我們要多祈禱，

要和耶穌結合在一起，

奉獻我們的困難與痛苦

給天父，

使地上的男男女女都能得救。

我們要

偕同大家一起，

　　同整個教會，

　　同所有受苦與痛哭的人，

　　同教會之母，世人之母瑪利亞，

等待耶穌在光榮中重新來臨。

　　我們齊聲說：「請來，主耶穌，請來！」

（默二二）

「父啊！天地的主宰！

我稱謝你！

因爲你，將這些事，

瞞住了智慧和明達的人，

而啟示給小孩子。」

（參閱瑪十一25）